천인국

김신오 7 시집

난지가 끄적거린 그림과 시

그저 그렇게

김신오 7시집

난지가 끄적거린 그림과 시

그저 그렇게

그저 그렇게

발　행 | 2024년 04월 30일
저　자 | 김신오
펴낸이 | 한건희
펴낸곳 | 주식회사 부크크
출판사등록 | 2014.07.15.(제2014-16호)
주　소 | 서울특별시 금천구 가산디지털1로 119 SK트윈타워 A동 305호
전　화 | 1670-8316
이메일 | info@bookk.co.kr

ISBN | 979-11-410-8314-4

www.bookk.co.kr

난지가 끄적거린 그림과 시

그저 그렇게

김신오 7시집

들어가는 글

오늘이 있어 내가 있다.
오늘 하지 않으면 영원히 하지 못할 것들이기에
무너지는 마음을 끌어올려 최선을 다하고 있다.
내일 무슨 일이 일어날지 알고 싶지 않다
내가 버티고 숨 쉬는 지금
바로 오늘이 내가 살아있는 날이다.
나를 버리고 산 시간은 이미 지나갔다
아주 작은 들꽃처럼 세상에 생겨 나왔으니
꽃이라도 피워보고 싶다.

2024 .5월 저자

목차

하늘을 덮고

마음이 추운 건지
날씨가 추운 건지
보이는 것 전부가 춥다.
창을 닫고 이불을 내려놓고
긴 소매 옷을 꺼냈다.

바람도 보이지 않고
서리도 보이지 않고
무엇도 보이지 않는다

마음이 병든 나는
갈 곳도 없으니 고스란히 슬픔이 느껴진다.
햇빛이 나뭇잎을 물들이는 나무 옆에서
하늘이나 덮고 자야겠다.

울기도 싫고 웃기도 싫고

고목을 보니 나를 닮은 것 같고
갈대를 보니 나를 닮은 것 같고
들에 풀들이 누렇게 말라 쓰러졌으니
나의 종말이 오는 것 같다

살아보겠다고
쓸고 닦고 정리하고
그걸 위해 목숨 바쳤더니
이제는 그것조차 힘겨워 몸이 거부한다.

울기도 싫고 웃기도 싫고
그 무엇도 나를 외면하니
이 세상에서 쓸모없는 존재이니
땅 위에서 잡초보다 못한 생명이었구나

바람아!

느티나무 사이로 휘돌아 가던 바람이
슬그머니 올라와
문틈 사이로 들어와 매달린다.

바람아!
내 심장이 뛰는 것은
네 차가운 손을 느끼고 있다는 거다.
한 줄기 바람이 지나면서
파란 하늘을 보라고
울고 싶은 나를 가슴 시리게 한다.

꽃은

꽃은
아주 작게 피어도
세상에서 가장 아름답게 웃고 있다.

한 계절 내내
자랑스럽게 여기며
피는 순간부터 지는 순간까지
미소와 향기를 보내고 있다.

꽃은
올망졸망 모여서
천사의 목소리로 제모습 그대로
놀라운 기도를 하고 있다.

숲로 천연국   시오

꽃이 되지 못하고

볼꼴 못 볼 꼴 다 본 것 같아도
아직 못 본 것 투 성이네.
세상 탓도 내 탓도 아닌데
왜 고통스럽다고 불만을 하는가?

꽃은 꽃이고 새는 새고
사람은 사람인데
너처럼 살고 싶다고 너처럼 못 한다고.
비교하면서 살고들 있네
사람은 죽을 때까지 꽃이 되지 못하고
신경통을 앓다 가는 것이네

아득한 미래에는

내가 날 수 있는 거리는 어디쯤일까?
내 마음대로 어디까지 갈 수 있을까?
구름 위일까?
별나라일까?

상상만 하다가 날개가 부러진 새
현실은 불가능한 조건뿐이다

생각은 자유니까
날다가 추락해도 꿈을 꾼다.
아득한 미래에는 멋지게 날고 있을 거다.

키작은 백일홍

수채화는 덧칠할수록

수채화는 덧칠할수록 엉망이 된다.
너와 내가 마음을 섞지 못하니
아무리 너와 내가 좋은 솜씨를 가졌어도
들꽃 하나 피우지 못한다.

너는 여기까지 그리지만
나는 결국 붓을 놓아야 그림이 된다.
우리 서로 같은 작업은 진행할 수 없다.

둘이서는 완성할 수 없다
너와 나의 눈높이가 다르다.
생각은 하늘과 땅 차이 너도나도 알고 있다.

날개를 펴지 못한 새는

하나밖에 없는 목숨을 가지고
온갖 별별 짓 다 하고 숨 가쁘게 살았어도
아직 갈피를 못 잡고 우왕좌왕하며 늙고 있다.
방 안에 들어앉아 만만한 세상 보듯
코로 숨을 쉬며 살고 있으니
벌레 먹은 씨앗에서 겨우 싹을 틔우고
꽃을 피우기는 했어도 오답 같은 인생이다.
지구 한구석에 박혀 차마 날개를 펴지 못한 새는
서러운 기도만 했을까요?

황금 낮 달맞이

거리

너와 나의 거리는 갈수록 멀어지는가?
하루하루 천 미터, 만 미터로 벌어지고 있구나
생각도 따로따로 목적도 따로따로
멀리 돌아서 가는데 무엇을 기대하는가?

왜 이러고 사는가?
마음은 너무 멀리 떨어져 있다
너나 나나 마음은 좁혀지지 않는다
병든 나무 다시 살릴 수 있을까?

광사무나리사 (말벵이 나물)

미련

세상을
선뜻 버리지 못하는 것은
나의 수명이 아직은 남아있는 까닭이다

오늘 밤 훌쩍
잠자듯 가게 된다면 나의 인생 마무리는
축복받고 살았지, 싶다.

내 맘이
흉측한 생각이 부풀었다 꺼지기를
수만 번이지만 아직 미련이 남았나 보다.

천국 가는 길은

산으로 들어가고 싶다
무겁게 매달린 심장을 떼어버리고
시원한 머리로 가고 싶다

나는 내 생각대로 가지 못하고
주저주저 같은 자리를 맴돌고 있는
못난 내가 있어서 힘겹다

내 삶이여 지금까지 어찌 왔는가?
조금만 더 견뎌보자
천국 가는 길은 꽃길이면 좋겠다.

바늘꽃

가을비

펄펄 끓던 여름이 가을비에 젖는다
싱싱해 본 적 없는 잎이 달랑달랑
떨어질 듯 축 처져있다.

얼굴을 펴지 않는
그 남자처럼 늘 우울하다.
구석진 곳에서 음침한 마음이 뒹군다.

가을빛 닮아 얼굴이 누렇다.
세상을 원망하는가? 하늘을 원망하는가?
그 남자 가슴에 늘 비가 내린다.
기쁨을 모르는 사람, 반쯤 감긴 눈이 슬프다.

꽃기린

거짓말 같은

지옥으로 떨어지겠지요
거짓말 같은 삶을 무던히도 숨겼으니까요
보이는 것 전부가 원망스러웠던
기나긴 젊음은 다 가고
세월의 길목에서 길을 잃고 울었더니
캄캄한 밤에 별이 노래를 불러주고
달이 손을 잡아 주었지요
거짓말 같은 시를 쓰는 것도 웃는 비결이지요.

가래귀

사랑도 게으르면

잎은 마르고 나팔꽃 줄기에 매달린
씨앗이 여물기를 기다리면서
내년에 꽃씨 심을 준비 합니다

저 하트모양의 잎은
사랑, 사랑, 사랑하라고 어여쁜 꽃도 피웠지요
나팔 부는 모습을 보면
한 송이 피고 지고 두 송이 피고 지고
어쩌면 몇 시간의 짧은 사랑을 곱게 피우고
거짓말처럼 입을 다물어 버립니다.

벌 나비 찾지 않아도 조건 없이 피워주는 사랑
이른 아침을 노래하는 사랑도 게으르면
꽃을 보지 못합니다.

직박구리

베란다 창밖 떠 놓은 물이 뜨겁다.
햇살이 오래 머물러 데워주었다
직박구리가
내 생각 따위는 무시하고 온탕을 즐기고
푸드덕거리며 몸을 씻는다

아이고 못 말린다.
째 째 째 째 노래까지 하는 저 모양새
신고산이 우르르 소나기 떨어지는 소리
물방울을 튀기며 한없이 들어갔다 나왔다
부리로 깃털을 다듬느라 분주하다.

너는 좋겠지만 나는 또 물을 보충해야 한다.
귀찮아도 내 마음은 너를 기다리면서
자주 창밖을 보게 되는구나.

단테빌라

겉 사람 속사람

살면 살수록 서로 맞는 것이 없으니
사랑해서 만난 것인지
그냥 필요해서 만났는지
살면 살수록 한자도 안되는 알 수 없는
그 속을 헤아려도 도무지 알 길 없으니
우리 왜 사느냐고 물어도
밥 먹기 위해서냐 살기 위해 밥을 먹냐
답답해서 물어봐도 눈빛도 움직이지 않고
숟가락만 움직이니 반응 없는 그 속을 모르겠다.
겉 사람인가?
속사람인가?
같이 있어 밥을 먹고 서로 속앓이는 하는지
알 수 없는 인생이여
그래도 서로 필요하니까 사는거다
힘든 것 해결해 주는 관계다

허기진 내 마음을

맨발로 나가서 땅을 밟으며
새벽이슬을 담아오고 싶다

아무도 가지 않은 나만 아는 숲길을
옷이 젖도록 쏘다니다 미쳐도 좋으련만
아무것도 할 수 없는 이 갈증

허기진 내 마음
안타까운 내 마음 누가 대신 할까?
나는 세상이 무섭다.

최고 행복

어릴 적 마당이 있는 집
꽃밭이 빙 둘러있는 마당 넓은 집에서
아이들과 땅따먹기를 하며 해가 지도록 놀았다

그 동그라미 땅에서
공기놀이도 손톱 밑이 까매지도록
올리고 뿌리고 껶고 깔깔 웃어댔다.

누가 이기면 어떻냐?
엄마가 부르는 소리에 탁탁 손을 털고
미련 없이 돌아가던 동네 친구들이 좋았다.

나의 어린 시절은 보고 또 돌아봐도
다시 그리지 못하는 아름다운 추억이다
그곳은 최고의 어린이로 행복한 날들이었다.

가종종

무덤가에 올라

바람 부는 날엔
집 옆 뒷동산 무덤가에 올라
동네 아이들과 연을 날리고 놀았다
연고도 없지만 초라한 무덤은 아니고
왕의 묘도 아니지만 꾀나 봉이 높고
햇볕이 종일 앉아있는 금잔디가 잘 자라는
전혀 무섭지 않은 무덤이 우리들 놀이터였다
봉분에 올라 미끄럼도 타고 연을 날리면
막힌 곳이 없는 최적의 장소였다

너도 오르고 나도 오르고
바람은 살살 아이들 연을 높이 올려주고
신나게 연싸움도 하고 즐겁게 뛰놀았다.

뒷동산 그 자리 그곳에 회오리바람이 불어오더니
빽빽한 고층 아파트 단지가 들어서면서
시멘트 숲을 만들어 버렸다.

지칭개

이제는 울지 않게 하소서

지구가 멈추면 시계바늘도 멈추겠다
천지창조부터 쉬지 않고 달려온 시간
그런 날들 속에 한 페이지를 살고 있다
지금까지 내 둔한 머리로 어떻게 살아왔을까
가는 날까지 버틸 수 있게 힘을 허락한다면
이제는 울지 않게 하소서

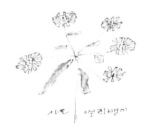

밤길

나무에 달린 잎들이
짙은 녹색으로 여름을 그리고
늦은 비는 종일 가을을 재촉하고
이파리들은 하나둘 색을 거두어 바람을 따라간다.

벼들을 노랗게 물들고
고추잠자리 이리저리
외진 길 무덤 옆을 지나면
숨소리 빠르게 지나던 바람도 같이 뛰었다.

멀리 교회당 종소리 따라 새벽기도를 간다고
무서움에 찬송을 크게 부르면서 걸어가면
귀신도 사라지고 어느덧 교회 앞에 서있던 나

가시엉겅퀴

이런 거구나

자꾸만 뒤를 돌아보는 것은
지나온 길이 아쉬워서가 아니다
지나온 길이 산처럼 높아서도 아니고
가물가물 강물처럼 흘러가서
잊히는 그것이 시원하기도 하고
마음이 서글퍼 지 네

나이 드는 것이
단풍 드는 것이 이런 거구나
눈가에 주름살 느는 것이 이런 거구나
해와 달은
그날이 그날처럼 너그럽기만 하네

쇠비름 꽃

속앓이

쳐다보면 화가 나고
말을 걸면 속이 우글거리네.
혼자서 끌탕을 하다가
속앓이하다가
문을 꼭꼭 걸어 잠그네

속을 헤아릴 수 없는 사람과
같이 밥을 먹고 외출을 하고
그것까지 할 수 없었다면
남남이 되었을 거네

거참,
웃는 것도 우는 것도
마음대로 하지 못하겠네

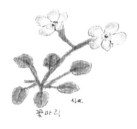

꽃마리

밤비

달이 뜨고 기러기가 날아가는 시간이 아니다.
비가 내리고 낙숫물 내려가는 중이다
홈통을 타고 세차게 꾸역꾸역 삼키는 소리다

일기예보대로 폭우가 내리는 이 늦은 밤
콸콸 밀려 내려가는 소리
혹시라도 빗물이 새어들까?
몇 번이고 창문을 주시하면서 손전등을 비춰본다.
밤비가 무섭게 쏟아지고 있다.

좀씀바귀

나의 한계점

밤바람이 양쪽 어깨를 감싼다.
소름이 돋아나니 옷깃을 여미면서
창을 닫는 손이 느리다.

내 몸의 뺘가 뼛속을 때린다.
목덜미가 뻣뻣하다.
어쩔 수 없는 육신
피가 제대로 돌기나 할까?
이제는 슬퍼할 이유도
안타까워할 이유도 없다.

내가 당해야 할
내가 겪어야 할
나의 한계점이다.

설틀버귀

여자여

파란 하늘에
잠자리가 무늬를 찍는다
맑디맑아
풍덩 뛰어들고 싶어 할 감성도 없고
창을 통해 빼꼼히 하늘을 보면서도
눈물 따위는 흘릴 수 없는 감방 같은 마음이다
놓쳐버린 마음들 잊어버린 마음들
생각만 하늘 같던 여자여

가을바람

시원한 바람이여
머리카락을 날리고
옷깃을 날린다고 다 시원하지 않다

어쩌자고 나를 따라다니는지
바람아 너를 외면 할 수 없다
시원한 것도
뜨거운 것도
네 마음대로 안 되는 것을

살랑대는 봄
뜨거운 여름
서늘한 가을바람이여 눈 내리는 겨울이여
계절마다 해 달 별 너와 내가 살고 있다.

고들빼기

9월 비가 내린다.

9월이 비에 젖는다
시퍼런 나뭇잎들이 비에 젖는다
떠나간 사람도
떠나갈 사람도
9월에는 비에 젖는다

제비꽃도 가고
민들레도 가고
꽃진 진달래도 뿌리가 젖는다
하늘만큼 공허란 가을
내가 던져버린 세월이 아쉬워
9월 비가 내린다.

너도 늙어보라

엄마 흰 머리카락이
내 머리에 붙었네
나도 염색을 하고 있다

머릿속에서 파 뿌리가 자라네
엄마가 바르던 양귀비를 내 머리카락에 바르네
내 나이보다 더 젊으셨던 엄마
염색 그만하시라는 자식들이 야속하셨다.

부모 마음을 어찌 자식이 알리요
너도 늙어보라 하시던 울 엄마
오랫동안 흰 털모자를 쓰고 사셨다

게미취

시간 보기

하루에도 수시로 시간을 본다.
지나고 지나가고
흐르고 흘러가고
아무 일도 일어나지 않았으므로
하루가 무사하구나

구름과 해가 숨바꼭질하다 시들해졌다
한낮인데도 어둡다
하루를 시시하게 보냈다
내일은 그냥 보내지 말아야지

무늬 바위취

가을 문턱에서

나무마다 찰떡같이 붙은 흔들리는 잎을
잘도 매달고 있다
그러나 너희들도 때가 되면 미련을 놓을 것이다.

헛된 삶이란 없다
세상을 견디는 방법은 오랜 시간 터득하고
곱게 물들어 아름답게 지키는 거다.

내 할 일 다 마치면 허무라는 그것도 없다.
고운 빛으로 사랑을 수를 놓으며
노을빛으로 돌아가는 것일 거다.
마음 흔들어 놓고 바람 타고 가는 것일 거다.

미안하다

남의 집 화원의 꽃을 보니
내 집 화초는 왜 그리 초라한가?
넓은 정원을 가진 집을 보니
내 집 베란다는 왜 그리 초라한가?
이 생각을 하는 순간
우리 집 화초에 마음을 들킬까봐
미안하다 미안해진다.
남의 집 황금꽃이 무슨 소용이냐
직박구리 날아들고 나팔꽃 피고 지고
귀여운 다육 식물이 최고지
우리 서로 낮은 곳에서 행복하면 최고지

사프란

크나큰 죄

저 높은
산을 매일 올라가는 사람들
정상에 서면
더 높은 하늘을 날아 보고 싶겠다.
산이 얼마나 높기로
정복하려는 사람은 품어 주겠지만
뻥 뚫린 하늘은 온갖 로켓을 쏘아도
별을 정복하지 못하지
세상은 창조자의 것
감히 별까지 건드리는 죄
인간이 크나큰 죄 하나 더 짓는 것이겠다.

산비장이

기억 퇴화

얼굴은 생각이 나는데
이름을 전혀 모르겠다.
내 기억이 점점 퇴화하여 간다.
드라마를 보다가 같이 늙어가는 게 보인다.
배우도 어쩔 수 없이 늙는구나!
보톡스 맞고 찍어 바르고 온갖 좋은 것 다 발라도
천의 얼굴로도 가리지 못하는 주름
이 순간의 드라마 주인공이 보인다 고스란히
지나간 것은 기억상실이지만
나도 너도 늙고 있다

삭 그름

추억 돌려 보기

형제들이 마음이 모여
뭉쳐서 여행하고 자주 만나는 중이다
언니와 나 사이 나와 동생 사이
밥을 먹고 사는 건지 죽을 먹고 사는 건지
서로 모르고 살더니 서로 마음이 전해지는구나!
내가 아픈 것도
네가 힘든 것도
그래 다들 잘 지내고 있을 거야
이렇게 모이니 추억 돌려 보기다
사랑하는 형제여 이렇게 우리 함께 웃어요

히스타나 비배나

그런 거였어

한번 잠들면 아침에 깨어났어
어려서부터 성인이 되어서도 잘 잤는데
시집가서 아이를 낳으면서
잠 시간이 뒤죽박죽
작은 소리에도 화들짝 놀라서 일어났지

아이가 잠을 **빼앗아** 간 거야
아이가 시간을 **빼앗아** 간 거야
아이를 보며 시간을 보며
인생 계획이 달라졌어.
그런 거였어
지금까지 자다 깨다 잘 못 자는 이유가

탈출

우물 안 개구리에서 탈출하니
눈이 밝아지고
귀가 뜨이니
입이 노래한다.

여기가 세상이었어
여기에 내가 살고 있었어
더 높이 뛰고 싶은데
더 멀리 보고 싶은데

이제부터 천천히 걸어야겠다.
넓다 세상 땅끝은 어디쯤일까?
높다 우주 끝은 어디쯤일까?

립스틱도안

네 자리 내 자리

더디 자라는 다육 식물이
안간힘 쓰며 자기 몸 스스로 지키려고
척박한 곳에서 견디고 있다

봄이 오고 여름이 와도
그냥 그대로 제 모습을 지키느라
한 자리에서 의연하게 참고 있다

너는 네 자리
나는 내 자리
서로 다른 모양이 모여 사는 것도 인연이니
자꾸만 정이 깊어지는 것이다

내 부끄러운 시도

내가 시인이라서 좋은 것은
나 죽어도 이름이 남을 거라고
유명한 시인은 아니라도
어딘가 이름으로 남아 굴러다닐 거라고

삶의 여정이 헛것이라서 막막했었지,
절망도 쓸모없는 넋두리라도
삶은 귀한 거니까
삶은 소중하니까
내 부끄러운 시도 남아있을 거라고

금불초   시우

가을이 와서

눈이 감기는 걸 보니
밤이 어느새 깊이 들어온 게다

눈은 무겁고
달은 밝은데
찬 바람이 분다.
살갗으로 가을이 와서
슬그머니 어루만지니 소름이 돋는다

자고 싶은데
너무 아프다.
조금만 더 조금만 더 참아다오

내가 울었다

꽃은 관심이다.
꽃은 맺힌 사연을 활짝 터트리고
맘껏 웃어보았지
웃어라. 소리쳐라
피지 못하고 죽는 것이나
피다가 죽은 것이나 같은 뿌리여서
가슴만 아프다.

꽃이여.
피다 만 꽃이여
너와 내가 닮아서 뼛속 깊이 아파서
내가 울었다
내가 울었다
너와 내가 아픈 것이 무슨 대수냐
한번 피었다 지면 그만인 것을

갓시원추리

다행

나이 들면서 점점 잊히는 게 많아지니
얼마나 다행이냐
나이 들면서 치매를 만나니
얼마나 좋은 친구인가?

아픈 기억들 아픈 세월
빨리 시간이 흘러 잊었으면 좋겠다고 했었다
어른이고 싶었는데 더 힘들어서
걱정 없는 할머니가 되고 싶었지
아마도 그때는 온몸이 눈물에 젖어
자디 짜게 절여졌던 삶이었어.

인생 이력서

지난날을 돌아보는 것은
벗어놓은 허물을 들추어 보는 것
이미 땅속으로 잦아든 빗물을
구덩이 속에서 퍼 올릴 수 없다
마음속 깊이 묻어둔 시간이다
눈물도 고통도 기억하고 싶지 않은
영영 펼치고 싶지 않은 인생 이력서

청매화 벗꽃

나도 자유인이다

직박구리야
내 말 좀 들어봐라
나는 네 소리를 듣는다
너도 내 소리도 들어보렴
너만 들락거리면서 놀지 말고
너 있는 곳에 나도 초대해 주렴
네 날개 좀 빌려주렴.
힘껏 날고 싶어졌어
하지만 이대로 지금의 내가 좋다
너에게 먹을 물을 떠 줄 수 있으니
나도 자유인이다
우리 서로 안부를 물으며 조용조용 살아보자

등심붓꽃

어린 것들이 보고 있다

좋은 집에서 태어나 사는 것도 복이나
좋은 것 먹고 좋은 것 보고
좋은 생각만 한다면 사람들이 얼마나 행복할까?
가진 것 많아질수록 투정이 심해진다.

나라와 나라가 전쟁을 하고
이웃과 이웃이 원수가 되고
친구와 친구가 사기 치고
서로 죽이고 원수가 된다.

어린 것들이 보고 있다
어린 것들에게 물려줄 것이 사랑인데
자유와 평화 에덴은 다시 만들 수 없는 것인가?
아담과 이브의 죄는 영원히 끝나지 않는 벌인가?

루드베키아 꽃

쥐

어제도 오늘 밤도 무서워라
자다가 놀라는 것이 다반사다
소리칠 수도, 숨 쉴 수도 없어 혼자 쥐를 만나
꼼짝 못 하니 무슨 조화던가

간신히 일어나 주무르고 때리고 쥐를 잡느라
겨우 숨을 돌리면 잠은 달아나고
악몽 같은 밤을 꼬박 새운다.
쥐란 놈이 왜 그런가?
쥐란 놈이 왜 내 몸을 괴롭히는가?
쥐가 너무 무섭다.

꽃을 심어요

세상에 왔으니 내 몫을 살고 가야지요
기어서 가든지 걸어서 가든지 뛰어서 가든지
바람처럼 사는 사람
꽃처럼 사는 사람
바다처럼 사는 사람 호수처럼 사는 사람
가다가 어느 위치에 멈추면
내 자리이지요. 내 집이지요
흔들리지 말고 안타까워하지 말고
가난하면 가난한 대로 마음 비우고
마음 밭에 꽃이나 가꾸면서 사노라면
그게 인생이지요.

개명꽃

오늘 할 일

살다 보면 해야 할 것도 많고
하지 말아야 할 것도 부지기수다
모든 일은
꼭 해야 할 것도 하지 않아도 될 일도 있다
일이란 시간과 때가 있는데
지키지 못한다고 낙오자가 되는 그것은 아니지만
신용이 없으면 인정받지 못하지
오늘 할 일 끝내면 좋고
내일 할 일 내일 하면 된다.
그렇게 질서 속에서 살다 가야 사람이다.

싸리 꽃

조심할 일

육신의 고통은
견디면 되지만 마음의 상처는 세월이 흘러도
지워지지 않으니 속 좁은 너는 어쩔 수 없구나
용서할 일도 아니고
그 이후 잊고 살다가
문득 솟아오르는 슬픔 같은 것이니
완전히 잊을라치면 언제가 될지
내가 떠난 후가 될 것 같으니
입조심 말조심 상처 주는 말은 가시처럼
찔러대는 것이니 언제라도 조심할 일이다

내일도 산다면

연필을 쥐니 손가락이 아프다.
죽을 만 치는 아니고 그냥 불편하다.
오늘만 살 것도 아니고 내일도 산다면
조금 쉬어야겠다.
내 몸 중에서 가장 많이 써먹은 가장 많이 신세 진
내 팔에 달린 내 손가락
어쩌면 충실한 몸종이었지
한 번도 나를 떠나 본 적 없던 팔이 요즘 아프다.
이 고통으로는 절대 죽지 않으므로 견디는 중이다
그냥 고맙다.

얼레지

나만 힘들다고

만족하는 것이 있을까?
사람의 욕심도 욕망도 막지 못한다.
하지 말라 하면 안 된다.
죽기까지 가지고 갈 불행의 씨앗 같은 것
그건 사람 나름 체념하는 순간부터 사는 게 지옥이다
나만 힘들다고 나만 고통스럽다고
참지도 못하면 인생 낙오자다
죽기 살기로 달려보는 거다

대숲의 자리

살다가 무료하면

살다가 무료하면 바다에 가서
맘껏 울부짖는 파도를 볼 일이다
무엇인가 살아있고
무엇인가 뛰게 한다.

살다가 괴로우면
강가에 가서
조용히 흐르는 강물을 볼 일이다.

알 수 없지만, 마음이 잦아들고
알 수 없는 것이 마음을 쉬게 하고
알 수 없는 그것이 평화롭다.

바다도 강물도 내 맘속에 흐르고 있었다
힘차게 때로는 고요하게
뒤섞이면서도 언제나 제 자리를 지키고 있다

붉은 토끼풀

선택

좌판에 깔린 과일들이 수다를 떤다.
서로 잘났다 서로 내가 더 맛나다.
귀가 따가워 고를 수가 없다
신중해야 한다.
깔을 볼 것인가 향기로 고를 것인가?
모가 난 것은 없고 둥글둥글
마음씨들은 좋은 것 같다
수다를 끝내는 방법은
제일 처음 선택 받으면 끝난다

나팔꽃

애기나팔꽃

꽃이 피고 지고
더 필 것이 없다고 여겼더니
새파란 하늘빛 닮은
푸른 바다 빛 닮은
꽃등을 달아 놓고
안절부절 기다리고 있다

한눈팔다 잠시 다른 곳에 있었다면
영영 못 볼 마지막 한 송이 꽃
마음이 급하다.

잠간 피었다가 숨을 거두는 꽃이라니
부지런하지 않으면 볼 수 없는 너를

보석을 만난 것처럼 얼마나 좋은지
얼마나 기쁜지
귀엽고 예쁘고 사랑스러운 애기나팔꽃
아무도 이 순간의 내 마음을 모른다

고방의 밤

방법

내 맘대로 살고
죽는 것도 내 맘대로다

약을 먹든지
떨어지든지
다쳐서 죽든지
방법은 아주 많아요

너도나도
꽃처럼 피었다가 향기롭게
기왕이면 예쁘게
소리없이 죽고 싶을 거예요

낭아초

천만에요

나는 괜찮은데
사람들은 어떻게 견디느냐고
대단하다고 말하기 쉬운 말로
불행했을 거라 묻는다
천만에요
나도 당신처럼 똑같이 살거든요
조금 더 노력하면서
밥 먹고 살아요
웃기도 하고 화내기도 하면서
비바람 맞아도 견디고 이겨내요
나도 똑같이 사는거예요

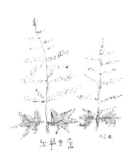
노루오줌

숨쉬기

복식호흡을 하란다.
숨을 들이마시면서 배를 내밀고
숨을 내쉬면서 배를 집어넣고
지금까지 자연스럽게 숨 쉬고 살았더니
숨 쉬는 법을 바꾸라니 불편한 일이다

숨 쉬는 것에도 규칙이 있다는데
사람 사는 것에는 모두가 질서가 있다는데
생각 없이 내쉬던 숨이 어렵다.
이제 바꾸라니 될말인가?
백세 시대는 숨 쉬는 법도 달라야 하는가?

송엽국

내가 머문 곳

집을 떠나 여기저기 다녀보면
내 집보다 편안한 곳이 없다.
집이 아무리 작고 누추해도
허름한 옷가지를 걸쳐도
반찬 한 가지로 밥을 먹어도 좋아라
천국은 내 마음속 깊이
내가 머물러 있는 곳이다.

딜누체 꽃

계절 가게

계절 가게가 있다면 얼마나 좋을까?
겨울에는 여름을 사 오고
여름에는 겨울을 사 오는

나는 가게 주인이 되어
넉넉하게 계절을 팔고 싶다

봄에는 아름다운 꽃을
가을에는 아름다운 과일을
모두 넉넉하게 담아주고 싶다

노루귀   산개

조용히

움츠리고 사는 사람은 다 사연이 있는거야
못났다고 왜 그렇게 사냐고
채근하지 말일이다

속으로는 마음이 여려서 자신이 없어
죽고 싶었을지도 모른다
그러니 조용히 그 사람을
곁에서 친구가 되어주는 일이다

배추 뿌리　시오

복주머니

사람들은 생겨날 때부터
복주머니 하나씩 받고 나오는 거야
사람들은 작은 주머니 큰 주머니든
자기가 지고 갈 만큼만 허락 된거지
욕심을 담으면 결국은 터지고 말 거야

남의 것을 탐내서도 안 되고
주어진 대로 받은 대로 잘 관리하고
조심스럽게 복을 누려야 해
받은 주머니는 다 똑같아

누가 무엇을 담는가에 달린 거야.
복이란 눈에 보이는 것이 아니야
복이란 나누면 커지고 주머니에 넣으면

단단해져서 쓸모가 없어지기도 하지
그렇다고 낭비는 금물이야 내 것도 조금은
아껴두고 나누면 넉넉한 복을 받는거야

구절초 꽃

하루살이 소원

딱 하루만이라도
세상에 나가서 숨 쉬고 싶어
아니
딱 하루만이라도 날아 보고 싶어
제발
딱 한 번이지만 세상 음식을 맛 본거야
겨우
소원을 다 이루었지 행복했어
딱 하루였지만

야생화

야생화를 그리고 있으면
백두산에 올라가느라
바람에 등 떠밀려 숨이 가빠진다.
혹시나 혹시나
야생화를 찾는 내 눈이여
천천히 수풀 사이사이
기쁘게 기다리고 있을 것만 같은
작은 꽃을 불러본다.
이제 내 눈은 헛것이 보이기도 한다
땅 위 모든 풀들이 꽃이 되어 하늘거린다.
한 컷 두 컷 그리노라면
눈앞에서 피어나는 야생화.

수제 국화

감사

오늘도 감사하는 하루가 되게 하십시오
눈을 씻어내고 따스한 밥상을 차리는
아침이 되게 하십시오
생각은 젊게 마음은 가볍게
입술이 평화롭게 하소서
햇살처럼 게으르지 않는
날마다 즐겁게 미소 짓는 날을 주소서

보라아스타국화

세월

세월아
세월아
내가 따라온 것이냐
네가 나를 따라온 것이냐
내 흰 머리카락이 알려주는구나.

이제는
보이는 것 전부
슬퍼지는 날들이여
물든 낙엽이 비에 젖는다
내 몸도 쏟아지는 눈물처럼
물속에 잠긴다

꼬마부들

가을빛

매미들의 사랑도 끝물이던가
한참을 숨넘어가게 사랑을 불러대더니
약속이나 한 듯 뚝 끊어진 소리
사랑도 슬픔도 인생도
빛이 바래면 아무도 관심이 없다
웃다가 울다가
그렇게 삶이 막을 내리는 것을

끈끈이 대나물   사색

가끔

무서운 게 없는 나이
누가 뭐라고 시비를 걸어도
화가 나질 않아
여행은 가도 그만 안 가도 그만
마음이 동하지 않아
가끔
천둥 번개 치는 날은
가슴이 두근두근
놀라기는 하더라

공상이었어

젊다는 것은 기쁜 것인데
비가 와도
달이 떠도
왜 슬픈 일이 많았는지

지나고 나니
다 쓸데없는 공상이었어
비가 오나 보다
달이 떴나 보다
그냥 덤덤해지는 거야

관심

화초를 사랑하면
물을 자주 주어서 죽이고
너무 무심하면 물이 말라서 죽어
먼저 화초랑 친해지려면
성격을 알아야 해
과잉보호는 사랑이 아니야
관심을 가지고 속 깊은 곳까지
살펴 줘야 해
화초는 사랑받으려고 내 곁에 온거야

돋보이고 싶어

이래 사나 저래 사나
숨 쉬는 것은 똑같아
다르게 사는 사람도 많아
별나게 사는 사람
수만 가지 직업을 보면 알잖아
같은 것을 하는 것보다
혼자 돋보이고 싶어 잘난 척 하는거야

하루도 못살면서

내 이름은 하루살이거든
이틀을 살면 이틀 살이겠지
하루도 못살면서
왜 생겨 나오는 거니?

세상이란 곳이 궁금했어
깔끔하게 태어나서
깔끔하게 떠나는 게 싫지는 않아
나처럼 하루만 살면
볼꼴 못볼꼴 다 보지 않아도 되거든

우단동자꽃

언젠가

살면서 모인 책들
저걸 언제 다 보기나 했을까
이젠 어떻게 처리하나
책들이 나를 어떻게 생각을 하겠어
우리 관심 없어지고
서로 다시 보고 싶지 않으니
언젠가 너도나도 쓰레기가 될 터이다

목수국

거울

분명 내가 맞다
비대한 여자가
물끄러미 보고 있다.

아니다
아니다
내가 아니다
저 여자
저 여자가 낯설다.

강아지풀

사람이 무섭다.

두려움이 생기면 겁이 나고
사람이 무서우면 세상 모든 게 무섭다
사람과 대화가 점점 멀어진다
혼자라면
새와 나무와 바람과 말을 해보자
세상은 숨는 곳이 아니다.
마주 서서 말을 섞고 살아가는 곳
내가 먼저 말을 걸면 의심하는 세상
이 세상 천국 되는 날이 오려나

봉강찔레꽃

너는 너 나는 나

내가 못 하는 것
다른 사람이 하면 되고
다른 사람이 못하는 것
내가 잘하기도 한다

남같이 되려고 애쓰지 말고
나는 나처럼 살면 된다
나보다 너를 더 사랑할 수 없지만
너는 너 나는 나
서로 제 갈 길 가면 되는 거다.

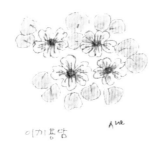

이끼통담

후숙

시퍼런 바나나 걸어두니
잘 후숙 되었다
껍질에 반점이 생겨 보기 흉해도
속 깊은 달콤함이다

파란 젊음보다 나이 든 인생은
깊이가 있어 멋지다
그 시간을 기다리고 살아온 후숙 인생은
보기만 해도 달콤한 냄새가 난다

은방울꽃

그저 그렇게

못 산 것 같지도 않고
잘 산 것 같지도 않고
순간순간을 넘기면서 버티고 살면
불행한 것도 아니고
행복한 것도 아니고
다들 그저 그렇게 살고

홀아비 바람꽃

자기만 아는 세상

내가 결혼해서
아이를 셋이나 낳았더니
야만인이라고 놀림을 받았는데
요즘은 결혼도 늦고 아예 안 하는 시대
지식이 높은 수록 혼자 살기 원하고
아이는 귀찮다고 낳는 것도 거부하네
어쩌다 이기적인 세상이 되었네

무요일

예전에는
일요일만 기다리고 살았는데
아이들 다 여위고 나니
요일도 따라가 버렸네.
1월인지 8월인지
월요일인지 금요일인지
주말도 느끼지 못하는
요일 없는 노후가 세월 가는 걸 모르네.

덩굴 개별꽃

인생 수업

백번은 더 죽었을 육신이
지금도 살아있으니
이건 기적이 아니고
아직 끝나지 않은 인생 수업이
남아있는가 보다

개떡 꽃

맛

행복도 불행도 따로 없다.
인절미에 콩가루 묻히듯
골고루 묻혀야 맛있다
열심히 세상에 뒹굴어 가며
좋은 일 궂은일 맛보고 살아야
인생 참맛을 안다.

금강초롱꽃

단풍잎 하나

시집 속에 빨간 단풍잎
곱게 말라 있다.

책을 펼치니 가을이 숨어있다.
책을 덮으면 숨도 쉬지 않고
잠만 잘 터인데

파르르
가을 산이 떨어졌다.
단풍잎 하나가 침묵을 깨고 일어났다

끝났어

내가 오래 살아
보탬이 되는 것도 아닌데
인제 그만
깊은 잠에서 깨어나지 말아야지

밥이나 하고 화초에 물이나 주고 내 몸 닦는 일
시나 쓰고 그림이나 그리고 컴퓨터나 만지고
병원이나 들락거리고 밥이나 축내고 사니
있으나 마나 없어도 되는 인생이지

내 할 일은 끝났어.
인생 할 일 없으면
깊이 잠들어도 나쁘지 않아
인생 고락 다 겪어봤으니 후회는 없어

찔레꽃 시인

새

비둘기 한 마리 왔다 가고
직박구리 두 마리 왔다 가고
아침 일찍 새가 날아와서
하루를 같이 시작 하잖다

물 한 모금 먹고 목욕 한번하고
물 두 모금 먹고 목욕 또 하고
제 몸에 묻은 먼지 깨끗이 털고
깔끔하게 물기까지 털어내고 가볍게 날아간다.
새들은 자유롭고
쳐다보는 나도 훨훨 날고 있다

추명국

내가 왜 이러는지

그림을 그리다가
시를 쓰다가
내가 왜 이렇게 사나?
안 한다고 누가 뭐라나
눈알 빠지게 그림을 그리고 있다.

야생화에 빠져서
그리고 그리다가 팔이 아픈데
허리 아프다면서 왜 하는 걸까?

모르겠다.
내가 왜 이러는지
그냥 시간이 아까워서 그래
뭔가 해야 해서 그래.

세잎 커리의 배음

시간

시간이 모자라면 하는 일이 많고
시간이 남아돌면 노는 날이 많고

항시 시간이 아쉬운 것은
하던 일을 멈출 수가 없는 거다
할 일 없이 시간을 보내는 것은
걱정 근심이 없는 사람이다

해도 해도 시간에 쫓기는 것은
하고 싶은 것이 많은 사람이다
나는 왜
손 놓고 쉬는 걸 못 참는가?

꽃무릇   사혜

너와 나는

너는 오고 싶고
나는 가고 싶다
너는 혼자 못 오고
나는 혼자 못 간다

너는 비둘기 되고
나는 직박구리 되고
우리 창가에 앉아 물도 마시고
목욕도 하고 조잘거리자

너와 나는 언제까지
세상에 머물러 있을까?

키작은 부용

야생화

내 스케치북에 들꽃들이 가득 피었다
한 송이 두 송이 많은 꽃을 피우느라
내 손끝이 바늘에 실 꿰듯 조심스럽다
야생화가 손끝에서 하나둘 피어난다
백지 위에서 오밀조밀 오색 꽃을 피운다
꿈속에서도 꽃을 찾아다니고
데려온 꽃을 피우느라 시간 가는 줄 모른다.

빈카   시아.

다초점

가깝게, 멀리, 중간거리
초점을 맞추어야 보인다.
새 안경을 쓰니 작은 글씨가 보인다
그림이 선명하다

안경이 나를 조종하고 있었다
조금만 눈동자를 돌려도
초점이 흔들린다.
안경을 벗으면 자유로워지려나

광대나물

습관

일찍 자려고 노력하니까
그 시간만 되면 하품이 나오는 거야
아무리 커피를 마셔도 재미있는 구경거리가 있어도
저절로 눈이 감기는 거야
잠을 못 자던 습관을 시간을 바꾸니
약속처럼 내가 끌려가는 거야
잠도 습관이고 정직한 시계야.

맘 졸이며 살지 마

서둘지 마! 뭐가 그리 급한 거니
천천히 꼭꼭 씹어 삼켜야 맛을 아는 거야
싱거운지 짠지 음미하면서 즐기면서 먹어봐
빨리 가도 천천히 가도 시간은 똑같아
맘 졸이며 살지 마
원래 성격이 그렇다고 핑계 대지 마
어차피 세상 구경하려면 둘러보고
천천히 돌아보며 즐기는 거야

쉬땅나무

나처럼

이만하면 잘 살았지
하룻밤 자고 나면 꽃잎이 하나 피고
이틀 밤 자고 나니 노을이 물들었지
해 따라가면 밝은 줄만 알았더니
어느새 달 보며 자려 하네.

아이들이 어른이 되었지
그 자식들이 또 어른이 되었지
너희도 불안한 거니?
나처럼
밥만 축내고 사는걸 아는거니?

나팔꽃

찾지 않았어.
부르지 않았어.
술래처럼 꼭꼭 숨었더니
슬그머니 나 여기 있어요. 나와 있네

기특하고 너무 귀엽고 반갑고 고맙기도 해
우리 이렇게 다시 만나는구나!
씩씩하게 살아줘서 고마워
너에게 지지대가 되고
나에게 희망이 되자

무덥고 힘들어도 잘 견딜 수 있어.
꼭 예쁜 꽃으로 피어나라
너처럼 예쁘게 웃고 살고 싶다.

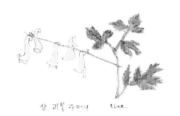

산 괴불 주머니

왜 종종 화가 날까?

살다 보니
서로에게 섭섭한 그것 천진데
왜 그냥 살까?

살다 보니
서로가 참아가며 살았는데
왜 헤어지지 않았을까?

살아보니
서로가 필요하고 없으면 불편한데
왜 종종 화가 날까?

살아보니
울다가 웃으며 같은 밥을 먹었더니
어딘가 닮은 구석도 있는 거야.

냉이꽃

냉이꽃 피고 진지 언제인데
냉이꽃이 보인다.
길가에 들판에 수두룩
피었다가 진 흔하디흔한 꽃

향기로운 꽃
맛나게 먹던 냉잇국
뿌리까지 캐서 무쳐 먹었는데
사라지는 게 아니었어.
눈을 감았다 떴는데
거기에 피어있었어

꽃 가게에 싱싱하게 진열되어 .
냉이꽃이 피어 있었어.
플라스틱으로 복제된 꽃이
소리 없이 웃고 있었어

숲 잔대
로벨리아

걷는 연습

앉아만 있지 말고
일어나서
한 발짝 한 발짝
걷는 연습 하세요.
그러면 나처럼 잘 걸을 수 있어요.

네 말이 옳다.
연습하면 걸을 수 있겠다.

너는 나를 보고
게으르다 할거고
나는 너를 보고
천진하다 할거고

내가 왜 이럴까요?

하루
하루
소중한 오늘
어제 없고
내일 없다

내 몸은 이미 내가 아닌데
갈증에 물을 찾아 컵을 들었다.

오
하나님
내가 왜 이럴까요?
그만 내려놓을까요?

사빠

쥬제타 — 루비벨

하늘의 뜻대로

울면 해결될까?
차라리 웃으면 될걸
웃는 게 보기 좋지만
이것저것 따지지 말고
하늘의 뜻대로 사는 거지

배고프면 먹고
자고 싶으면 자고
웃을 일 없어도 웃고
울고 싶어도 삼켜야지

마음 빼놓고

밥숟가락 드는 힘 있으니
글 쓰고 그림이나 그리는 거지
할 수 있을 때까지 해보는 거지

달

언제부터 따라왔니?
서울에 있더니
동해 속초까지
밤새 달려왔느냐?

엄마처럼
지켜보던 달이
외손녀 웃음처럼
방안 가득 웃는다

지금 내 곁에서 웃는
손녀의 건강한 에너지
할머니 품 안에 가득 차오른다.

붉은낮달맞이

짐

마마보이
아들이 다녀갔다.
언제부터 눈치가 보인다.

사랑인가 동정인가?
내 심장이 울렁거린다.
너는 이제
네 아내의 남편이다.
네 자식의 아버지다

그 정도만 해도 된다.
부르지 않아도 오고

오지 말래도 오고
할 만큼 했고 분에 넘치도록 받았다

너는 너대로 잘살고
나는 이대로 좋은데
내가 왜 짐처럼 느껴지는가?

별꽃 아래서

자유

집 안에서 뱅뱅돈다
내 손 닿는 곳에 몇 군데가 있는가?
높은 곳도 포기하고
구석진 깊은 곳도 포기하고
나는 달리 방법이 없지만 그래도 살아지더라
내 사지가 자유롭게 붙어있는 것이 다행이다.
내 영혼이 자유를 찾아 외딴곳에서 살자 한다.
더 높이 올라가면 자유를 찾을 수가 있을까?

한라무거 비비주

가을바람

새벽바람이
이불자락 끌어 덮으라 한다
베란다 문을 닫고 다시
덧문을 닫고 다시 눕는다.
가을바람에도 견디지 못하고 푸석대는
육신의 부실 공사
삭고 깨지고 금이 가고 있다.

냉기가 내 몸에 달라붙어 체온을 내리라 한다
서리처럼 자욱한 안개가 숨을 몰아쉬고 있다

우이염   시와

고요한 산책

한강공원에 한가로이 가을볕이 뒹굴고 있다
군데군데 야생화가 피어 주어
주어진 시간을 한껏 즐기는 중이다

이렇게 좋은데
녹색 풍경은 땅으로 돌아가기 위해
제 몸을 바꾸는 중이다

가슴 가득 품고 싶은 가을빛
이 가을 전부가 천국이다
당장 이곳에서 죽어 묻혀도 좋은 곳

푸른 바람과 따스한 바람
어깻죽지 아픈 것도 생각나지 않는
차 소리도 들리지 않는 고요한 산책
힘껏 들이마신 가을에 배부르다.

리스본 글래

지금이 좋다.

따가운 가을볕에
퍼런 잎사귀들과 붉게 물들고 싶다
시방 눈앞에는 갈바람 되어 싱그럽게
흔들리는 육신이 되고 싶다
여기 살 동안
실컷 흙 위에서 맨발로 달리면서
살 떨리도록 춤을 추고 싶다

망아지가 되어도 좋다
소갈머리 없는 망나니도 좋다.
철없이 뛰노는 강아지처럼
휘젓고 다니고 싶다
아무것도 생각하지 않는
지금이 좋다.
이 순간 이대로 좋다.

가을

산뜻한 갈바람이 지나가면서
느티나무 속살을
언 듯 언뜻 들추고 있다

옷을 벗는 나무 곁에서
나는 겹겹이 옷을 껴입고
움츠리고 서 있는 덜된 인간이여

갯모밀

검진

심판대 위에 자진 출두하는 군상들
이곳저곳 몸무게 달고 허리둘레 재고
있던 병은 더 높게
없던 병은 더 추가
병원 먹여 살리는 일이구나

우글우글 모여드는데
살고 싶은 군상들이 줄을 지어
연신 1호 2호 3호….
조명이 밝은 곳인데도 미소가 사라졌다
먹구름 가득 비가 온 것 같다

굵고 짧게 살 것인가?

가늘고 길게 살 것인가?
열심히 줄을 서서 묻고 있다

수면 내시경 하다가
끝내 깨어나지 않아도 후회 없을 나이
병원을 먹여 살리려면 오래 다녀야 한다

중꽃

낙엽

거리마다 낙엽들은 비에 젖어
찰싹 엎드려있고
아직 매달린 나뭇잎은 햇살을 기다리고
공중과 지상을 잇는 바람이
어쩔 줄 몰라 허둥댄다.
떨어지는 것과 이미 떨어진 것은
부지런한 것도 아니고 게으른 그것도 아니다.
조용히 제 할 일을 하고 있다
끝내는 바람에 흩어질 것들에게
내 전부를 맡기는 것이다

속속이풀

모순된 삶

옛날보다는 잘살고 있다고 하다가도
내 인생 돌아보면 추레하고 눈물겹다.
정신 꽉 잡고 실수하지 말아야지
하고 싶은 것 접어두지 말고
후회 말고 부딪치고 깨지고 싸워보는 것도
마지막 몸부림이 아니겠는가?
육신은 왜 힘들고 어려운가?
만 가지 병들이 찾아와 가슴이 답답하다.
내 뜻대로 따라주지 않는 모순된 삶이여

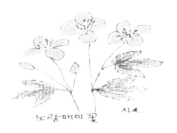
노랑매미꽃   시4

그럴 때마다

만 가지 생각이 뒤통수를 쪼아댄다.
다 털어버리면 되는데
쓸데없는 생각으로 심장이 널을 뛴다.

그럴 때마다
뛰쳐나가 바닷가에 솟구치는 노도처럼
온몸을 미친 듯이 깨부수고 싶다.

태평하게 구름도 늘어지게 잠자는
무덤 속 같은 시간이 위안을 주려나 보다
그래 그것도 싫지는 않겠다.

꽃 창포

마주치면

잔소리하는 나도
잔소리 듣는 너도
지겨워서 귀를 막고
지겨워서 입을 막고

이젠 잔소리 없이 살아보라지
정말 잔소리 말자
수백 번 결심해도

마주치면 또 반복되는 잔소리
너는 내 앞에서 벽이 되고
나는 네 앞에서 침이 마른다.

그림을 그리자

마음 둘 곳이 어딘가
하얀 도화지를 채워 봐야겠다
하늘, 땅, 바다, 나무, 꽃
내가 부르면 달려 올 것 같은
내 소중한 위로인 그림을 그리자

나는 나무가 되어
하늘을 우러르고
나는 흙이 되어 꽃을 피우고
나는 바다가 되어
파도 소리로 노래 부르자.

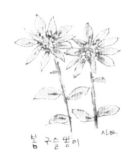

봄 구슬붕이

아직 내 마음이

오늘도 회색 구름
그것은
내 마음일까?

바람이 이리저리 휘젓고 있어도
그것은 내 마음 때문일까?
몇 날 며칠 벗겨지지 않는 이유는
아직 내 마음이 풀리지 않아서
어두운 빛 그대로다

내 모습처럼
내 마음처럼

능소화

하늘은 알고 있다

우리 집 창가에 물 먹고 가는
직박구리랑 비둘기가 있다
하루에도 몇 번씩 거르지 않고
물을 먹고 재재거리고
그 물에 목욕을 하고
그 물을 또 한 모금 먹고
다시 반복하면서 몸을 씻는다

순식간에 제 할 일을 하고
창문 안에서 지켜보는 것도 모르고
혼자만 비밀 스런 장소라고
재재거리며 웃다가 간다

하늘 아래 비밀이 없다는 것을
쥐도 새도 나도 모른다는 말도
하늘은 알고 있다

쥐도 새도 모르게

신발도 옷도 쓰레기로 버려질 것들을
쓸고 닦고 털고 시간 낭비하며 살았다
점점 쌓여가는 무거운 짐덩어리들
낡은 것들이 버려진다면 시원할 것이다
괜찮다
내가 쓰는 동안만 사용했으면 된거다
활활 불쏘시개가 되어도 아깝지 않다
제발 아프지 않았으면 좋은거다
팔이 쑤셔온다. 이유 없이 욱신거린다
제발 갈 때까지 고통아 멈춰다오
조용히 쥐도 새도 모르게 혼자 가고 싶다
지금 당장 이 고요한 시간처럼 멈추고 싶다.

도나치스 뱀벗 (양지꽃)

지구가 기웃 등 돌아간다.

앞으로 한 발 내딛다가
내 머리가 앞으로 고꾸라지고
뒤로 한발 일어나려니
지구가 기웃 등 돌아간다.

길가의 돌이 굴러가다 멈추는 날에도
하늘의 별이, 지상의 새들이 서로
멀뚱멀뚱 쳐다보고 있었다

나는 입을 벌린 채
흔들리던 몸을 가만히 누이고
지구 위에 몸을 맡겨 두고
영혼과 함께 돌고 돌아 떠돌이 별이 되겠다.

가난한 십자가

작은 건물 위에
우뚝 솟은 십자가 철탑
옥상이라 칭하는 지붕 위에는
온갖 잡동사니들이 늘어져 뒹굴고 있다

에어컨 실외기와 세탁소가 매어둔 빨랫줄
빈 화분과 가스통들이 같이 산다.
새도 날아와 앉지 않는 너저분한 곳에
가난한 십자가가 건물을 지키고 있다

불이 켜지다가 꺼지다가
찬송가가 들리다가 언제부터
빈 교회 간판만 비바람에 젖고 있다.

혹시라도

계절이 바뀌듯
대통령이 열두 명이나 바뀌고
세상이 바뀌도록
나는 내 자리 나는 이곳에 그대로다.

안경알 도수를 높이니
더 커진 글씨가 잠을 깨운다.
다행이다
조금 더 확실하게 보인다.

보다시피 한자리에서
나는 늙은 고치 안에서 웅크리고
지금 탈피하려 꿈틀거리고 있다
혹시라도 나비가 되는 꿈을 꾸면서

히말라야 앵초

시원한 일 없을까?

그런 일이 생길 것 같지 않다
어제도 그랬고 오늘도 그렇게
속 터지는 날이다

두뇌 톱니바퀴를 잠시 멈추게 못 하지만
혹시라도 어떤 일이 생길는지
마음속 깊은 문제를 설명할 길이 없다.
얼굴이 화끈거린다.
도무지 식을 것 같지 않다
나 혼자 왜 끌탕을 하는가?

효자손이 보인다.
그래그래
등이나 시원하게 긁어보자.
시원하다 시원하다

프렌지 메리골드 (만수국)

지금은 꿈을 꿀 시간

새벽은 왜 더디 오는지
뇌는 깨어있어 눈망울은
어둠 속에서 소리를 찾는다

새벽바람
어디쯤에서 기다리고 있을까?
선잠 깬 끼리끼리 어깨동무 하고 싶다

축 늘어진 심장을 뛰게 하는 첫 시간
아침이 더디오는 것도 다행스러운 일이다
지금은 꿈을 꿀 시간 온통 비어있는 생각을
침묵 속으로 밀어 넣고 다시 눈을 감아야겠다.

고들빼기

덤

후반 내 인생은 덤으로 산답니다
있으나 마나 한 내가 아직도 필요하다면
언제든지 이용해도 좋습니다

아직은 열 손가락이 타자합니다.
자유롭게 움직이니까
써먹을 곳이 혹시라도 있지 않을까요?

그런 일 해도 그만 안 해도 지장 없지만
얼마나 더 견딜지 덧없는 세월 따라
덩달아 나도 같이 덤으로 흘러가렵니다

나무가 나이 들어

고목이 서 있는 것을 본다.
어찌 그리
세월을 아름답게 품을 수 있었을까?

고목은 바람이고
고목은 세월이고
고목은 세상이었다

나무는 서로서로 위로하면서
하늘의 소리를 들으며
제 자리를 지키고 있었다

부끄러운 내 삶은 초라하지만
네 곁에 서면
새삼 기도가 하고 싶다

나는 혼자 놀고 있다

그림도 그리고
시도 쓰고
컴퓨터도 하면서 소리 없이 놀고 있다.

참견하는 이도 없고
곁눈질할 일도 없고
내 옆에는 늘 침묵이 동행한다.

하나님은 아시지요
내가 하는 일이 무슨 소용되는 것이 아님을
그냥 혼자 등지고 논다는 것을

지나고 보니 지금이 가장 평안한 그림
호흡이 순조롭다.
내가 보인다.

야생화 그리며
생활시 한 편씩

난지 시인은
어린 시절 그림을 좋아해서
화가가 되는 꿈을 꾸었었다.
그러나 결혼하고 자녀를 키우고
가정을 가꾸며 생활하느라
그림을 잊고 살았다.
그렇게 살다가 나이가 들어가면서
시를 공부하고 시를 쓰기 시작하였다.
시인으로 등단하여 시를 쓰며 활동하면서도
잊을 수 없는 것이 한 가지 있었나 보다.
화가가 되고 싶었던 꿈이
찾아와 난지 시인을 자극하였다.
붓을 들기에는 부끄러움을 느꼈던 것인가
색연필로 야생화를 그리기 시작하였다.
한 장, 두 장, 그렇게 그려진 그림은
어느덧 500여장이 훨씬 넘었다.
요즘 디카시라는 장르가 생겨날 정도로
시인들이 카메라를 들고 사진을 촬영하고
한 편의 시를 써서 디카시집을 내고 있다.
이미 500여장 이상의 야생화를 그린
난지 시인은 야생화를 그리는 화가 시인이다.
그렇게 그린 야생화 그림을 취미로
여가 생활하면서 시 한 편씩 써 모은
생활시를 함께 엮어서 시화집을 준비하였다.
참 멋 있고 훌륭한 시도라고 생각하여
힘찬 응원의 박수를 보낸다.
-양수창-

金信梧 프로필

김신오- 아호: 난지 (蘭芝)

월간한맥문학 詩 등단(2004)
월간한맥문학 童詩 등단(2005)
한맥문학가협회회원
한맥문학동인회회원
한국문인협회회원
회전그네시인회동인

-회전그네 사화집 1-11호출간
-제 1시집-비탈에 선 나무(2006)
-동시 1집- 달하나 꿀꺽(2009)
-동시 2집 -소리가 날아다녀요(2022)
-제 2시집 - 두 어머니 (2016)
-제 3시집 -느티나무는 알고있다 (2018)
-제 4시집 -서로 숨어 피는 꽃 (2019)
-제 5시집 여자가 보인다 (2022)
-제 6시집 지구에서 사는 법(2021)
-제 7시화집 그저 그렇게 (2024)

-공저 -다수